MW00930797

I Edizione 2003

15033 Casale Monferrato (AL) – Via del Carmine, 5
Tel. 0142/3361 – Telefax 0142/74223
www.edizpiemme.it

Stampa: G. Canale & C. Spa - Borgaro Torinese (TO)

Aurora Marsotto

Da grande farò la ballerina

Illustrazioni di
Desideria Guicciardini

PIEMME
Junior

A chi mi accompagnò la prima
volta in una classe di danza.
A chi mi fece assistere
alle prime apparizioni
di Rudolf Nureyev in Italia

1
Ho un sogno...

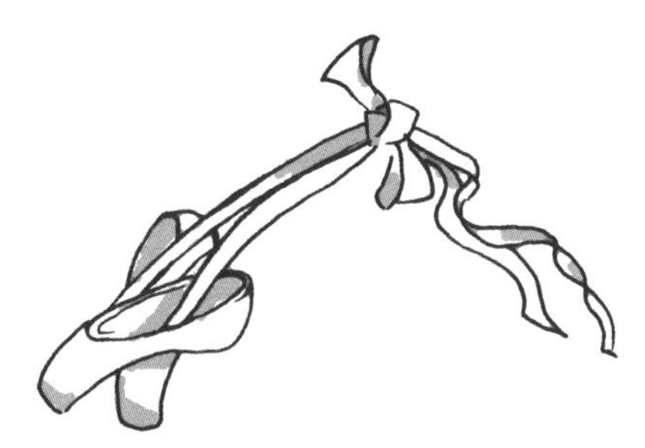

MI CHIAMO VIVY. Non come il verbo vivere, ma Vivy con la ipsilon. È un diminutivo, lo so, e nemmeno dei migliori, ma il mio nome è quello della mia bisnonna, che venne chiamata Vittoria perché nacque quando gli italiani vinsero la prima Guerra Mondiale. Però, ci tengo a precisare, mi chiamo anche come la regina inglese Vittoria, che aveva tanta personalità da dare il suo nome al periodo in cui ha regnato: l'età vittoriana.

Ho nove anni e abito in una cittadina vicina a una grande città. Più che una cittadina, in realtà è un paesotto, con tanto verde e tanti abitanti superindaffarati nel

loro lavoro. A me non piace viverci: preferirei abitare in una città con la metropolitana, con tanti negozi, tanti cinema... infatti io vado matta per i film, ma mi annoia guardarli alla televisione: mi piace sprofondarmi nella poltrona comoda di una sala buia, vedere la luce azzurrina che porta le immagini allo schermo, grande, immenso... è là che succede la storia! Dove abito invece mi devo accontentare di un unico cinema (che per di più è aperto solo nel fine settimana!); oppure c'è un multisala, ma ci vuole mezz'ora di macchina per raggiungerlo.

Però papà fa il medico, e il suo studio è proprio qui. Tutti gli vogliono bene, soprattutto da quando è morta la mia mamma, in un incidente d'auto molto vicino a casa nostra.

È successo tre anni fa. Io avevo sei anni, ma me lo ricordo ancora.

Dicono che più cresco più le assomiglio, perché sono alta e snella - "secca" dicono le mie compagne di scuola - e ho le gambe lunghissime - "come un fenicottero" aggiungono sempre loro per prendermi in giro. Ma non me ne importa.

Veramente per due anni me ne è importato eccome: «Vittoria, Vittorina, secca, secchina» mi ripetevano, e io giù a piangere. Sono un po' timida, lo so, e non riesco a chiedere ai miei compagni di giocare con loro. Aspetto sempre di essere invitata. Ma capita di rado, e più spesso mi tocca un «Per questa volta principessa, o meglio regina... non la faremo giocare!». È di sicuro anche colpa del mio collo, che forse è un po' lungo e sembra che io guardi dall'alto in basso tutti quanti. Ma non è vero: è solo che le mie compagne sono più basse di me, e anche i miei compagni, e a loro dà fastidio!

Ma ora è acqua passata, non piango più, anzi rido dei loro scherzi. Ho anche imparato a rispondere con una battuta. Così, dopo un po', i miei compagni non mi hanno più preso in giro.

In più, da quando a ottobre papà mi ha permesso di frequentare la scuola di ballo della mia città, ho scoperto che se si hanno le gambe lunghe e magre si può anche essere guardati con benevolenza; l'insegnante mi sorride e se sbaglio mi riprende con dolcezza. E poi a lei il mio

collo da giraffa piace! Insomma lì sono trattata bene.

Ma per poter mettere piede dentro alla scuola di ballo c'è voluta tutta la mia pazienza e la mia astuzia, perché ho dovuto organizzare bene la cosa in casa: accompagnamenti, compiti sempre fatti in anticipo, lezioni studiate, bei voti... insomma, una faticaccia!

Però io ce l'ho messa tutta, perché è da quando avevo sei anni che sogno di danzare.

È successo tutto una sera, una di quelle sere magiche che non si possono dimenticare. È stata anche l'ultima sera che ho passato con la mamma. Forse è per questo motivo che non me la dimentico, anzi, ricordo ancora benissimo il suo viso sorridente, il suo abito lungo nero e scollato, i suoi capelli morbidi appoggiati sullo scialle scintillante... era contenta, tanto contenta, di portarmi al balletto!

Dopo quella sera io ho deciso che da grande avrei fatto la ballerina. Sì, proprio come Nureyev.

Come, non sapete chi è Nureyev, Rudolf Nureyev? Ma è stato il più grande balle-

rino del Novecento! Io ho letto tutto (o quasi) su di lui. Ormai sono già due compleanni e due natali che mi faccio regalare soltanto libri che parlano di lui. Prima guardavo solo le fotografie, poi ho imparato a leggere meglio e così adesso conosco tutta la sua vita, anche di quando frequentava il mitico Kirov, la scuola di San Pietroburgo dove si formano i grandi ballerini di danza classica.

Un posto speciale nella mia decisione ce l'ha proprio lui, Rudy. Io lo chiamo in questo modo perché ho letto che così lo chiamavano i suoi amici. Forse non ne aveva molti, anzi, doveva avere un carattere un po' difficile. Di sicuro però ha avuto una vita avventurosa: sembra sia nato addirittura su un treno, mentre sua mamma attraversava la Siberia meridionale per raggiungere il marito che era militare in una guarnigione lontana!

Ma ancora non vi ho detto che cosa ha spinto entrambi a diventare ballerini...

Rudy, così ho letto, è stato accompagnato a sei anni dalla sua mamma a vedere *Il Lago dei Cigni*, e quella stessa sera ha deciso che avrebbe ballato per sempre.

Anch'io ho visto quel balletto a sei anni con la mamma, proprio quell'ultima sera... vi sembra solo una coincidenza? Eccovene un'altra.

Poco dopo la morte della mamma, io ero molto triste e mi sedevo spesso sulla sua poltrona del soggiorno. Da quella posizione cercavo di leggere i dorsi dei libri, sì, i titoli scritti sulla parte stretta, esterna del libro. Facevo una gran fatica, perché erano scritti in piccolo e perché allora non sapevo leggere tanto bene. Passavo il tempo così perché non avevo voglia di giocare con nessuno. Poi finalmente un giorno sono riuscita a leggere: *Rudolf Nureyev*... era un nome bizzarro, difficile. Ho preso il libro dallo scaffale e... sfogliandolo ho passato uno dei pomeriggi più belli della mia vita. Poi, alla sera, papà ha detto che quel libro era il preferito della mamma: io me lo sono messo sotto il cuscino e per tutta quella notte ho sognato, anzi ho ballato...

Comunque ora va meglio, non ho più troppa nostalgia della mamma. A scuola non ho problemi e sono bravissima in matematica, la più brava della classe. In

NUREYEV

italiano invece vado così così perché in tutti i temi ci metto la danza e la maestra è stufa, dice che sono monotona. A casa tutto fila liscio: Tecla, una nostra vicina, aiuta me e papà nelle pulizie e a fare da mangiare, e poi ci sono i nonni, che fanno a gara per non lasciarmi sola, e la zia Giovanna, che fa la hostess e mi porta sempre un sacco di cose curiose dai suoi viaggi.

Come il libro che ha comprato nella libreria che c'è vicino al Covent Garden, il teatro più importante di Londra. È in inglese, ma le fotografie sono bellissime, e papà per tanto tempo me ne ha letto un pezzetto alla sera prima di addormentarmi. Era la mia favola. E lui era contento così, perché aveva paura di essere meno bravo della mamma a raccontarmi le fiabe della buonanotte.

2
Tre sorprese da Parigi

COME VI HO DETTO, adesso che frequento la scuola di ballo sono proprio contenta. Ci vado due volte alla settimana per un'ora. Non è molto, lo so, ma nella mia camera ho spostato il letto e una cassettiera, una fatica!, e ho sistemato un materassino, dove faccio gli esercizi a terra, e un appoggio sul muro per fare il *plié* e il *grand battement*.

Insomma, fino a poco tempo fa andava tutto bene: la scuola, i compiti, i pranzi domenicali con i nonni, quell'uragano di zia Giovanna... e il papà tutto per me.

E così è stato fino a quando lui non è andato a Parigi.

Era partito mogio mogio. Davanti alle mie insistenze per accompagnarlo, aveva risposto: – È un congresso, ti annoieresti, e io non avrei il tempo di portarti né al teatro dell'Opera, né a vedere la Tour Eiffel, né tantomeno a Eurodisney. Passerò tutti i giorni chiuso in una sala congressi, e alla sera gli organizzatori ci porteranno a cene di lavoro e concerti noiosissimi.

– Ma potrebbe venire con noi anche la nonna, o magari la zia Giovanna potrebbe prendere tre giorni di ferie... sarebbe bellissimo! – l'avevo supplicato.

– No, non è possibile, almeno per questa volta. C'è la scuola, e poi fra poco finisce il

quadrimestre... Parigi non è lontana, ci andremo un'altra volta e ti porterò all'Opera a vedere Sylvie Guillem (che è la mia ballerina preferita).

Non ho saputo che cosa rispondere, ma il mio istinto continuava a dirmi che dovevo accompagnarlo. Già, ma come facevo? Anche a mettere insieme tutte le paghette settimanali non sarei mai riuscita a pagarmi il biglietto...

E così sono rimasta a casa, coccolata e ben nutrita, certo, ma triste, tanto triste.

Poi papà è tornato, e da Parigi ha portato tre sorprese. E che sorprese!

Ascoltate:

1°: un bellissimo poster di Rudolf Nureyev che mi sono appesa subito in camera.

2°: un paio di scarpine da punta in raso rosa (le desideravo da tanto tempo, perché a scuola non ce le fanno ancora usare: occorre avere fatto tanto esercizio prima di "salire sulle punte". Io lo farò l'anno venturo, ma queste scarpine certo non aspetteranno fino a quel momento!).

Bene, io ero a posto così, per me le sorprese bastavano.

Ma papà ha voluto strafare. Sì, perché a Parigi è successa una cosa terribile: *a Parigi papà si è innamorato!*

In verità io non dovrei sapere ancora niente. L'altra sera però ho sentito i nonni discutere sul fatto che mi devo abituare alla novità piano piano. Ma io non mi ci voglio abituare, mai!

Avrei dovuto capirlo dal suo comportamento, perché papà era sì gentile e affettuoso come al solito, ma aveva anche un'aria tra lo svagato e l'impacciato. Sembrava sempre in cerca delle parole giuste per parlarmi. E c'è voluto qualche tempo prima che scoprissi cosa gli era accaduto.

Per farla breve, lui credeva che avrebbe passato dei giorni noiosissimi al congresso, invece, la prima sera, a un concerto si è trovato accanto, pensate che fortuna!, una deliziosa fanciulla che gli ha fatto apprezzare note e violini, e l'ha convinto addirittura a tornare a teatro anche la sera successiva, a sentire lo stesso concerto!

Non ho parole! Beh, *Il lago dei Cigni* l'ho visto anch'io due volte, e ho anche la videocassetta, ma non l'ho mai visto *due sere di seguito!*

Ora, poi, quasi non posso più rispondere al telefono, la sera. A me piace moltissimo rispondere al telefono, lo faccio da una vita, e non vedo perché a casa mia non posso più farlo solo perché a chiamare è la nuova fidanzata di papà.

Lui infatti fa certe corse per arrivare per primo all'apparecchio... l'altra sera è perfino inciampato nel tappeto, ha urtato lo sgabello del pianoforte ed è atterrato sul divano. Ho riso così tanto che mi sono scese le lacrime, anche perché all'altro capo del filo non c'era la sua "fanciulla", ma nonna Delia, la mamma della mia mamma!

La telefonata serale arriva sempre all'ora della frutta, quando termina il telegiornale. Puntualissima...

Meno male però che questa sera è stata breve, perché io e papà dovevamo parlare di una cosa importantissima: il mio saggio di danza di fine anno. Anche se è solo marzo occorre pensarci per tempo perché io devo partecipare a tre pezzi. Prima il brano d'assieme di studio, danzato con il tutù e le scarpine morbide da salto, poi un altro pezzo con la calzamaglia e una gon-

nellina leggera di chiffon, e per ultimo il finale, ancora con il tutù, insieme a tutta la scuola.

Insomma, tutto stava procedendo per il meglio, papà ascoltava attento, molto attento. Poi, come se fosse stata la cosa più naturale del mondo, ha buttato lì un: – Prenderemo un biglietto in più per la sera del saggio… ci sarà anche Isabella.

Isabella? Ma *Isabella* chi?

Mi sono alzata di scatto, ho balbettato un "buonanotte" e mi sono infilata più in

fretta che potevo nel mio letto. E lì ho potuto piangere a volontà.

Ho pianto così tanto che ho dovuto girare il cuscino appena ho sentito muovere la maniglia. Era papà che veniva a darmi il bacio della buonanotte. Io ho fatto finta di dormire, anche se le mie guance erano tutte bagnate.

3
Non ho bisogno di una mamma...

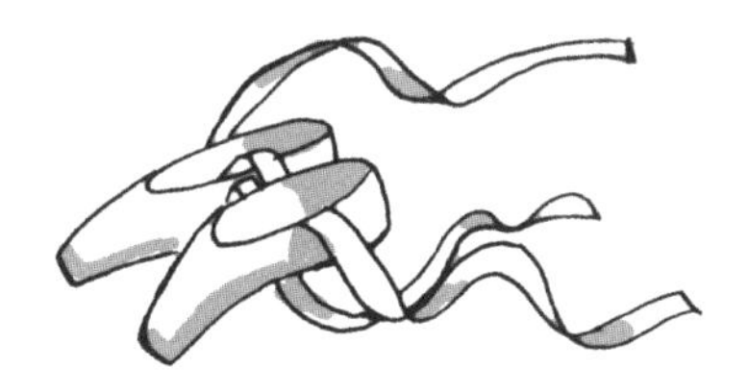

HO DECISO: non andrò più a scuola di danza, così non parteciperò al saggio e Isabella non potrà venire! Isabella, poi. Sicuramente è brutta, quindi per me d'ora in poi sarà per sempre *Isabrutta*.

Ieri ho detto della mia rinuncia anche alla mia amica Giulia, ma non le ho spiegato il vero motivo. Non voglio che si sappia che mio padre ha perso la testa. Tutti lo considerano un bravo medico, non voglio che lo prendano in giro.

A Giulia ho raccontato che mi sono fatta male a una gamba e che devo stare a riposo. Lo dirò anche ai nonni, ma non so se mi crederanno. Però non so come fare

con Francesca: al termine della lezione la portiamo a casa in auto sempre io e papà.

Francesca non può perdere le lezioni di danza, per lei sono importanti. È nata con una difficoltà a muovere braccia e gambe in modo coordinato, il suo cervello dà ai muscoli degli ordini imprecisi e quindi lei non riesce a muoversi velocemente, a cambiare in fretta posizione. Grazie agli esercizi di danza, invece, ogni giorno un suo gesto migliora. Quando è venuta a danza la prima volta, a metà dell'anno scorso, non riusciva a seguire nemmeno un esercizio, oggi segue tutta la lezione. Cammina bene adesso, riesce a vestirsi più in fretta e a muoversi a tempo con la musica. Certo, vorrebbe avere le braccia più morbide nel *port des bras* ma, le ho detto, non si può avere tutto e subito. Ormai è diventata impaziente!

Giulia, che la conosce da sempre perché sono vicine di casa, l'ha convinta a venire a danza e ora le dà anche delle lezioni a casa. Giulia ha un anno più di noi e fra un po' andrà in città a sostenere l'esame di ammissione alla scuola del Teatro. È molto brava, sale già sulle punte e

al saggio di fine anno farà anche un pezzetto da sola. Un *assolo*, il sogno della mia vita.

Ma è meglio che non ci pensi più.

Non frequenterò più la scuola, non parteciperò al saggio, non realizzerò il mio segreto...

Già il mio segreto. Il mio sogno ormai lo conoscono tutti, e qualcuno mi prende anche in giro quando dico che voglio fare la ballerina. Ma il mio segreto nessuno lo sa ancora.

L'altro giorno ho ritagliato da un giornale il bando per partecipare all'ammissione alla scuola del Teatro. Sì, proprio come Giulia. Anch'io voglio provare, l'anno prossimo, anche se non sono brava come lei. Basta avere dieci anni e frequentare la quinta elementare. Forse in qualche altra scuola, in un'altra città, occorre essere più piccoli o più grandi, non lo so, ma a me va bene questa. So che ci hanno studiato dei grandi ballerini, che sono diventati *étoile* o *star*, delle "stelle" insomma.

Ma poi è arrivata Isabrutta e il mio sogno si è infranto! Così ora sono qui, rannicchiata nella poltrona della mamma, il mio pensatoio, a cercare una soluzione.

Meno male che da qualche giorno, nell'isolato, si sente il suono dolce e rassicurante di un pianoforte. A Tecla, la nostra vicina, non piace, e non le piace nemmeno il pianista, il signor Amedeo (sì, proprio come Mozart!). Dice che è un orso, perché non parla con nessuno, non cura il giardino e fa tanto "rumore".

Rumore, dice lei, ma per me quello del piano è un suono meraviglioso; l'altro

pomeriggio sono anche riuscita a indovinare che cosa stesse suonando il nostro vicino: era la *Heine Kleine Nacht Music* (la *Piccola musica da notte*) di Mozart, il mio compositore preferito! A scuola di danza la ballo spesso: la mia maestra la utilizza per farci fare la prima parte dell'esercizio al centro, quello che si danza dopo gli esercizi alla sbarra e che si chiama così perché si fa tutti insieme, in file ordinate al centro della sala e davanti allo specchio che prende l'intera parete.

Da qualche mese lo fanno con noi anche due ragazzi. Sono più alti di me, ma meno bravi, perché sono arrivati quest'anno. A Giulia piace il più alto, un biondino che si chiama Max. Per me è proprio insignificante, ma lei dice che è irresistibile.

Comunque con noi non parlano. Si vestono in uno spogliatoio separato e per un'ora non dicono nemmeno una parola. Fanno un po' fatica a imparare la sequenza dei passi, ma quando fanno l'*échappé* saltano molto più di noi, sembra quasi che volino. Non come Nureyev, certo, però danzano in modo diverso da

noi ragazze. Anche la *glissade*, che è facile, la allungano tanto, e fatta da loro è proprio bella. La maestra mi ha messo vicino a loro perché ho le gambe più lunghe delle mie compagne e così non do fastidio quando facciamo questo passo.

Già... ma se non vado più a scuola di danza, se rinuncio al saggio, che cosa mi interessa della *glissade*?

E se invece di andare a danza andassi più spesso in piscina, come vuole papà? Se imparassi ad andare a cavallo?

Mentre pensavo a tutte queste cose rintanata sulla poltrona della mamma mi sono addormentata, e quando lo squillo del telefono mi ha svegliato mi sono trovata... con le scarpine da punta nuove ai piedi! Non mi ricordavo di averle indossate, e

nemmeno di averle allacciate. A me piace pensare che sia stata la mamma a farlo, che non mi dimentica mai e mi aiuta a prendere le decisioni giuste. Forse le farebbe piacere che io faccia il saggio… e allora credo proprio di volerlo fare anche io!

Al telefono era mio padre, già non il mio meraviglioso papà, ma *mio padre*. E volete sapere la bella notizia?

Questa sera, quando finirò la lezione di danza, mi passerà a prendere come al solito, come al solito porteremo a casa Francesca ma *non* come al solito sarà accompagnato da Isabrutta, e con lei andremo a mangiare la pizza.

È arrivato il momento dell'Incontro. Temevo che prima o poi sarebbe successo.

Dovrò fare attenzione a come la chiamerò. E lei, non vorrà per caso farsi chiamare "mamma"?

4
...Però ho bisogno di un amico!

CHE SERATA! Sono stanchissima per un sacco di motivi, e quasi non ricordo più quali sono.

Tanto per cominciare sono stanca perché ho fatto lezione e abbiamo lavorato moltissimo sulle mezze punte. Serve per rinforzare i muscoli, migliorare l'equilibrio e prepararsi a salire sulle punte. È stata un'ora faticosissima. In più sembra che dalla prossima volta faremo un'ora e mezza di lezione, come le classi dei grandi, perché dobbiamo preparare la coreografia del saggio, cioè dobbiamo imparare a fare i passi su una musica stabilita.

Sono uscita dalla scuola con Francesca.

Anche se avevamo fatto la doccia, eravamo ancora accaldate, e ridevamo e scherzavamo quando, tutt'a un tratto, li ho visti: papà era accompagnato da Isabrutta!

In tutta fretta ho inventato una scusa con Francesca: – Sai, è arrivata una nostra lontana parente. Figurati che non la conosco neppure! Si chiama Isabella e papà ha deciso di portarla fuori a cena, poi l'accompagneremo dai nonni.

Mi domando se Francesca ci ha creduto davvero.

E poi sono stanca perché c'è stata la cena...

Certo, dire che Isabrutta è brutta proprio non si può. Ha i capelli scuri e gli occhi grigi, era ben truccata e aveva un paio di pantaloni di pelle fantastici, proprio come quelli che piacciono a me e che nonna Franca non mi vuole comprare perché dice che costano troppo. Per tutto il tempo che siamo rimasti al ristorante ho cercato di trovare in lei qualche difetto, ma è stato inutile. Anche lo smalto sulle unghie era perfetto! Aveva quelle mezze lunette bianche che vanno tanto di

moda e si chiamano *french manicure*, cioè “unghie alla francese”, che io non riesco proprio a capire come si possano fare.

Però le sue unghie sono corte, perché Isabrutta suona. Suona il pianoforte in un’orchestra che registra le musiche per i film, per gli spettacoli televisivi e per gli spot pubblicitari. Insomma, un lavoro che non pensavo nemmeno esistesse... e così mi sono anche ritrovata ad ascoltare i suoi racconti a bocca aperta!

Proprio non mi aspettavo una cosa del genere. Ero partita agguerrita e invece stavo lì, con l’aria rapita, ad ascoltarla. Papà sprizzava gioia dagli occhi e dalle orecchie. Da me si sarebbe aspettato qualche frase scostante, o addirittura il silenzio più totale, e invece stava andando tutto a meraviglia... finché Isabella (già, e come la devo chiamare ora, visto che è tutta carina e tutta gentile e che ha anche convinto papà a farmi prendere la pizza gamberetti e rucola, la mia preferita, che lui non mi fa ordinare mai?), Isabella, dicevo, mi ha raccontato come ha conosciuto papà a Parigi: era seduta nella poltrona accanto a lui durante il concerto.

Gli ha spiegato un paio di cose sul direttore d'orchestra e sul programma, e così è scoccata la scintilla.

Mah! Io a teatro ho sempre avuto vicino i parenti: papà, mamma, i nonni… non mi sono mai seduta accanto a degli sconosciuti. Vuoi vedere che un giorno o l'altro potrebbe capitare anche a me di trovare l'Amore a teatro? Sì, proprio l'Amore con la A maiuscola, perché da come quei due si guardano negli occhi, si tratta certamente di questo. Domani chiederò conferma a Giulia, che è grande e di amore se ne intende. A sentir lei è sempre innamorata. A me invece non è ancora capitato…

Comunque la cosa spaventosa è che la sera dopo, Isabella e papà si sono ritrovati ancora a teatro, allo stesso concerto. E notate che papà preferisce il jazz alla musica classica! Ma a lei non l'ho detto, perché tanto se ne accorgerà da sola.

L'ultimo giorno a Parigi, poi, quello libero da impegni (quello che io dedicherei allo shopping, tanto per intenderci) l'hanno passato visitando musei, ma hanno anche avuto il tempo di passare al bookshop dell'Opera per acquistare il

poster di Nureyev e in un negozio vicino, dove Isabella ha voluto comperarmi le famose scarpine da punta.

Alla fine della cena, ciliegina sulla torta, Isabella mi ha raccontato che possiede una foto di Rudolf Nureyev con tanto di autografo!

Io veramente non so se crederci. Però è tutto molto strano: suona il pianoforte, va a vedere i balletti... non si trovano tante persone che amano la danza da queste parti. Io conosco solo la mamma di Giulia che è una vera patita, e la mia maestra, ma per lei è lavoro. Comunque accetterò che Isabella venga a cena da noi una sera, perché mi ha promesso che mi porterà la foto.

Ho capito che questa qui, prima o poi, me la troverò in casa, e io proprio non voglio una mamma nuova. Sto bene così.

Oppure no, qualcosa mi manca. Certo ci sono Giulia e Francesca, ma loro non mi capiscono fino in fondo. Vorrei qualcuno a cui raccontare tutto quello che mi succede. Tanto a papà ora interessa poco.

Forse mi andrebbe bene anche un cane. Sì, un cane sarebbe proprio perfetto: starebbe zitto, non mi darebbe consigli inu-

tili... non ho bisogno di nessuno, io. Mi basta la poltrona della mamma.

Però, in fondo non mi piace non avere bisogno di nessuno. Francesca ha bisogno di me e questo mi fa piacere.

E poi c'è Lorenzo. È il mio compagno di banco, ma solo da pochi giorni. È arrivato a metà dell'anno e non si è ancora inserito completamente nella nostra classe. Non saluta nessuno, tranne me: dev'essere molto timido. In matematica è una frana, così la maestra me l'ha messo vicino perché dice che lo posso aiutare. Ogni tanto gli suggerisco una soluzione o gli do un colpo col gomito quando scrive qualche sciocchezza. Se lo invitassi a casa mia, potrei dargli qualche ripetizione. Dimostrerei a papà che sono grande e indipendente, che non mi interessa quello che vuole fare e che io ho la mia vita.

Magari potrei anche fare una festa. Sì, una festa è proprio quello che ci vuole. Papà e i nonni non me le lasciano mai fare, ma adesso, se dico che non voglio Isa bella-brutta tra i piedi, dato che si sentono in colpa, di sicuro non potranno dirmi di no!

5
Il nostro segreto

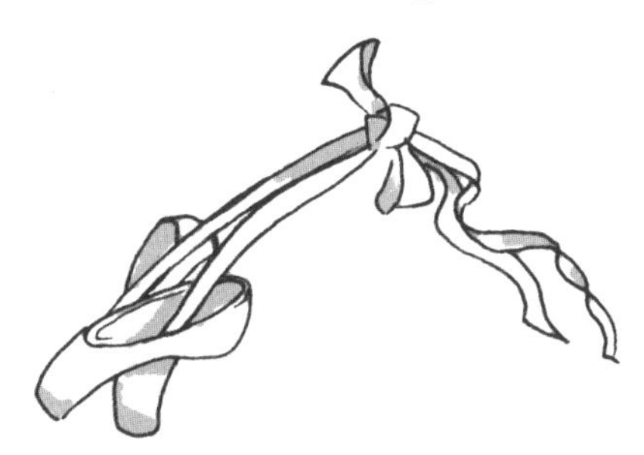

PIOVE, SONO SETTIMANE che piove. Così ho dovuto rimandare l'idea della festa. Io abito in una villetta a schiera: è piccola, ma ha un giardinetto davanti e un orto sul retro, così avrei voluto fare la festa all'aperto.

Giulia invece può fare tutte le feste che vuole, anche al chiuso. La sua casa è molto più grande della mia: lei infatti ha due fratelli e una sorella. Nel suo seminterrato, oltre al box per la macchina, c'è anche una grande stanza dove si gioca e si sente la musica. Quest'anno la mamma di Giulia l'ha trasformata in una palestra: credo sia lei quella che ci tiene di più che

Giulia venga ammessa alla scuola di ballo del Teatro!

Però forse rimandare la festa non è stata una cattiva idea: in questo periodo sono proprio impegnata. Non so come fare. Ieri sera ho dovuto perfino studiare geografia dopo cena, non mi era mai capitato! Tutta colpa della maestra, che ieri ha deciso di appiopparmi Lorenzo. Il suo compito in classe di matematica era terribile, così si è beccato un " inclassificabile" e l'obbligo di fare gli esercizi con me, al pomeriggio dopo la scuola.

Che noia! Io di solito matematica la faccio in fretta, alla fine della giornata oppure subito dopo pranzo, così non ci penso più. Adesso, invece, dovrò perdere un sacco di tempo con lui, che credo sia proprio uno zuccone!

Invece mi sbagliavo: ho passato uno splendido pomeriggio con Lorenzo. Abbiamo fatto i compiti in fretta, perché non è vero che non capisce. È solo che è indietro con il programma della mia classe. Appena gli ho fatto vedere come si risolvono i problemi, in un attimo ha ter-

minato i compiti. Meno male, perché così abbiamo avuto il tempo di parlare un po'.

Lorenzo non è affatto timido ma non gli piacciono tanto i nuovi compagni, e allora preferisce stare zitto.

Si è interessato molto alla mia camera, ai miei poster e ai miei libri. Mi ha ascoltato attento perfino quando parlavo di danza! E lui è un maschio, non è Giulia o Francesca!

Mentre gli facevo vedere il libro che parla della vita di Nureyev, il signor Amedeo ha cominciato a suonare un pezzo bellissimo che mi ha zittito. Io e Lorenzo siamo rimasti alcuni minuti ad ascoltare: suonava proprio bene, sembrava un disco. Poi, quando la musica è terminata, Lorenzo mi ha lasciato a bocca aperta.
– Era *La campanella* di Liszt – ha detto.

Io sulle prime credevo che scherzasse. Poi gli ho chiesto: – Anche tu suoni il pianoforte?

– No, Vivy. Quando abitavo a Firenze suonavo il violino, ma qui non conosco nessuno che possa continuare a darmi lezioni. E poi la scuola, sai, non va tanto bene. È meglio che quest'anno mi metta

56x17 =
1270:123

in pari con il programma, magari l'anno venturo riprendo a suonarlo. A casa ho parecchi cd di musica classica: se vuoi un giorno te li presto.

Che scoperta! Giulia e Francesca non crederanno alle proprie orecchie!

Ma le sorprese di questa settimana non sono finite. Ci sono troppe novità: a me piace la vita tranquilla!

Giulia, finalmente, mi ha fatto vedere la sua palestra. Ero curiosissima perché Francesca me l'aveva descritta. È proprio bella e assomiglia alla nostra aula di danza. Ha due sbarre alle pareti, il pavimento di linoleum e uno specchio grandissimo che copre tutta una parete. Poi c'è una panchetta, un attaccapanni e un tavolino con il registratore. Manca solo il pianoforte e sarebbe perfetta!

Il pianoforte è importante per studiare danza. È un accompagnamento eccezionale, cento volte meglio del registratore. Con la musica dal vivo si danza meglio, si va a tempo in modo diverso. Beh, a dire la verità qualche volta è il pianista che va a tempo con noi durante la lezione, accelera

o decelera a seconda che siamo in anticipo o in ritardo. Ci accompagna nei nostri esercizi, per questo si chiama "maestro accompagnatore".

Io faccio un po' fatica a tenere il tempo mentre danzo. Un bravo ballerino deve *sentire* la musica e saperla dividere esattamente nel suo tempo, perché a ogni tempo corrisponde un movimento. E tutto deve coincidere perfettamente. Quando la musica è finita anche l'esercizio deve essere terminato.

Così ho deciso che devo imparare a leggere le note. E se Lorenzo mi insegnasse? Dopotutto io gli sto insegnando matematica...

E guardando la palestra di Giulia mi è venuta un'altra idea... le ho chiesto il permesso di allenarmi anche io a casa sua. Le ho proposto di darle una mano a seguire Francesca, così lei avrebbe più tempo per i suoi esercizi: infatti la prima selezione per l'ammissione alla scuola del Teatro è fra solo un mese.

Ma la cosa che più ha impressionato Giulia e Francesca è stata la mia idea di chiedere a Lorenzo di insegnarci a leggere

le note e quindi gli spartiti musicali. Erano felicissime: potremo allenarci tutte insieme, sarà divertente!

Venerdì pomeriggio, terminata la scuola, Lorenzo mi ha chiesto se poteva venire da me. Poi ho scoperto che non voleva né fare matematica, né chiacchierare: voleva vedere la palestra di Giulia. E così l'ho accontentato, tanto al pomeriggio lei è sempre chiusa lì dentro.

Lorenzo ha cominciato a guardare la stanza in silenzio, così noi gli abbiamo raccontato la nostra idea di farci insegnare le note. E lui sapete cosa ha risposto?: – Veramente anche io vorrei danzare –. È diventato tutto rosso in viso e ha aggiunto: – Io le note ve le insegno, ma vorrei che voi mi insegnaste qualche passo di danza che conoscete... ma non dite niente a nessuno, perché se gli altri maschi lo vengono a sapere non la smetteranno più di prendermi in giro.

Io e Giulia siamo rimaste senza parole, perché anche se a danza abbiamo qualche compagno, da Lorenzo proprio non ce l'aspettavamo. Ecco perché quando gli par-

lavo di Nureyev stava zitto e ascoltava, ecco perché non si è spazientito quando gli facevo vedere le mie scarpine da punta!

Comunque siamo tutti felicissimi, e abbiamo giurato di mantenere questo segreto... nessuno saprà di Lorenzo!

6
Una palestra tutta nostra

– POSSO ACCOMPAGNARTI a casa? –. La domanda di Lorenzo mi è caduta addosso come un fulmine durante l'intervallo. Nessuno mi aveva mai fatto una richiesta del genere!

– Sai, ti devo parlare... – ha aggiunto.

E così, tornando a casa, Lorenzo mi ha raccontato che prima si era avvicinato alla musica studiando violino, poi gli era venuta la voglia di danzare. Come gli fosse venuta, anche lui non sa spiegarselo bene.

– Credo di aver cominciato a rincorrere i barattoli, a fare i gradini a tempo di musica, a schizzare con i piedi l'acqua delle pozzanghere...

– Hai visto il film *Cantando sotto la pioggia* e volevi fare come Gene Kelly, il protagonista? – gli ho chiesto scherzando. Anch'io ho provato a danzare nelle pozzanghere, ma mi sono presa solo una ramanzina dalla nonna!

– Boh... so solo che mi piace fare le giravolte, m'impegno moltissimo durante l'ora di ginnastica e quando gioco a calcio con i miei amici voglio stare sempre in porta, perché quando cerco di parare un tiro mi lancio e mi sembra di volare. Ecco, in quel momento sono felice. Ci sono tanti modi per volare... si vola con gli sci ai piedi, tuffandosi da uno scoglio, si vola con il deltaplano e il parapendio... ti ricordi Icaro, il ragazzo del mito greco che per primo volle volare costruendosi due ali e appiccicandosele alle spalle?

– Conosco la leggenda di Icaro, l'ho letta a scuola – ho risposto. – Solo che quando Icaro spiccò il volo verso il cielo, il calore del sole sciolse la colla, le ali si staccarono dalle sue spalle e lui precipitò nel mare!

– Io non voglio finire certo come lui! Voglio solo provare a galleggiare nell'aria

per poi tornare giù, ma cercando di stare in volo il più possibile. Pensi che la danza mi possa dare questa sensazione? E poi c'è la musica, e la musica fa sognare. Hai mai sentito la *Sérénade mélancolique* di Ciaikovski? È un brano magico, quando lo ascolto le note mi trasportano in un altro mondo. È come leggere un libro di avventure...

– So cosa vuoi dire. Io ho letto due volte *Il giardino segreto* di Frances Burnett, e tante volte ho immaginato il giardino di Mary proprio come se lo avessi davanti agli occhi. A proposito di giardini, sai che dietro casa mia vorrei fare un orto biologico, proprio come la mamma di Giulia? – ho continuato.

– Oggi pomeriggio vai da lei a esercitarti? – mi ha chiesto allora Lorenzo. Eravamo arrivati davanti al mio cancello.

– Sì, penso di sì – ho risposto. Poi mi è venuta un'idea luminosa: – Perché non vieni anche tu? Ci sarà anche Francesca... dài, che provi anche tu qualche esercizio insieme a noi!

– Sei sicura? Cosa diranno le tue amiche?

– Saranno felicissime, ne sono certa!

– Ma che cosa devo portare?

– Beh, la tuta e le scarpe da ginnastica vanno bene, ma porta le più leggere che hai, e se sono vecchie e usate è ancora meglio – ho aggiunto, pensando che avrebbe avuto bisogno di un paio di scarpe molto morbide. – Trovati alle cinque davanti a casa di Giulia. Ciao!

La prima lezione di Lorenzo non è andata male. Però gli occorre tutto per poter cominciare seriamente: scarpe, indumenti adatti, e soprattutto non deve avere davanti alla sbarra delle ragazze. Infatti io, Giulia e Francesca abbiamo capito che come studiamo noi per lui non va bene…

È goffo quando cerca di copiarci. Forse perché noi gli insegniamo solo quello che ci piace e dimentichiamo i suoi amati salti. Lorenzo vorrebbe imparare solo il *grand jeté*, quel salto lunghissimo con il quale un bravo ballerino quasi attraversa il palcoscenico. Ma nemmeno Giulia è capace di insegnarglielo. Invece Francesca è stata bravissima a fargli imparare le sei posizioni fondamentali dei piedi. Le ha ripetute tante di quelle volte che ora po-

trebbe insegnarle a un esercito di bambini, poverina!

Poi Giulia ha avuto un'idea geniale: chiederà (lei, perché io mi vergogno!) a Max e Daniele, i nostri compagni di danza, se hanno qualche indumento che non usano più e un paio di scarpe da salto da prestare a Lorenzo. Così sarà a posto!

L'emozione che sento per questa impresa mi ha fatto quasi dimenticare Isabrutta... o Isabella?

L'altra sera è venuta a cena a casa nostra e, tanto per dire qualcosa, le ho raccontato che mi piacerebbe molto coltivare un orto biologico... non l'avessi mai fatto! Isabella si è subito entusiasmata. Ha detto che è un'idea eccezionale e che lei compra solo frutta e verdura biologiche. Insomma è un'esperta. Ha sorpreso anche papà, e ha promesso di accompagnarmi a comperare i primi semi e di spiegarmi come fare per coltivarli.

Temo che la situazione mi stia sfuggendo di mano: non riesco a vedere niente di brutto in lei. Ho cercato di trovarle qualche difetto, ma sono solo piccole cose... sarà la donna perfetta?

In due settimane mi sono ritrovata con il mio orticello. Mancano solo due siepi (ma penso di farcela ad acquistarle con i miei risparmi), così forse riuscirò a creare un piccolo spazio nascosto proprio davanti agli alberi del signor Amedeo. Sarà il *mio* giardino segreto. Voglio sistemarci una panchetta di legno e piantare un'aiuola che cambi colore a ogni stagione. Se poi potessi anche attraversare il giardino del mio vicino, dal mio nascondiglio arriverei in un attimo da Giulia senza farmi vedere da nessuno, proprio come un fantasma!

Allora, lo volete sapere? Giulia ha chiesto a Max e Daniele di venire a esercitarsi insieme a noi, così daranno una mano a Lorenzo nei salti. Io non avrei mai avuto il coraggio di chiederglielo, però in compenso sono riuscita a domandare al mio vicino il permesso di fare un sentiero per attraversare il suo giardino!

È capitato tutto in fretta. Come al solito, un pomeriggio ero rintanata sulla mia poltrona mentre lui suonava il suo pianoforte. Era quella bella musica che

piace tanto a Lorenzo: *La campanella* di Listz. Come spinta da una forza misteriosa, mi sono alzata di scatto e sono andata a citofonargli.

Quando il signor Amedeo mi ha aperto, ho iniziato facendogli i complimenti per come suona, tanto per metterlo di buonumore. Con un sorriso gentile lui mi ha fatto entrare e io, tutto d'un fiato, gli ho raccontato del segreto mio e di Giulia: la palestra.

Non so se la cosa gli interessasse davvero. Però mi ha detto che effettivamente aveva già pensato di mettere qualche pietra nel suo giardino in modo da attraversare il prato senza calpestarlo. Ma la cosa strabiliante è stata questa: un suo amico ha un vecchio pianoforte che non usa più. Gli chiederà di regalarcelo, così noi avremmo anche la musica dal vivo per i nostri esercizi! Non sapevo proprio come ringraziarlo, allora gli ho promesso che le prime fragoline del mio orto biologico sarebbero state sue.

Anche Giulia non credeva alle sue orecchie quando le ho raccontato della mia "avventura": con il nuovo sentiero, il no-

stro segreto sarà ancora più segreto! E anche Lorenzo potrà venire nella nostra "palestra privata" senza essere visto da nessuno... pensate che ha deciso di provare anche lui l'anno prossimo la prova d'ammissione alla scuola di ballo del Teatro insieme a me!

Per fortuna a casa mia nessuno sa di questo mio progetto, altrimenti credo che papà non me lo farebbe realizzare. Per lui la danza non è un affare importante... la mamma sì che avrebbe capito e mi avrebbe sostenuto. Ma adesso che lei non c'è più è tutto diverso, me la devo cavare da sola.

E poi domani devo anche andare con Isabella a comperare i semi e le piante di fragoline, altrimenti niente sentiero segreto né pianoforte!

7
L'ho combinata grossa!

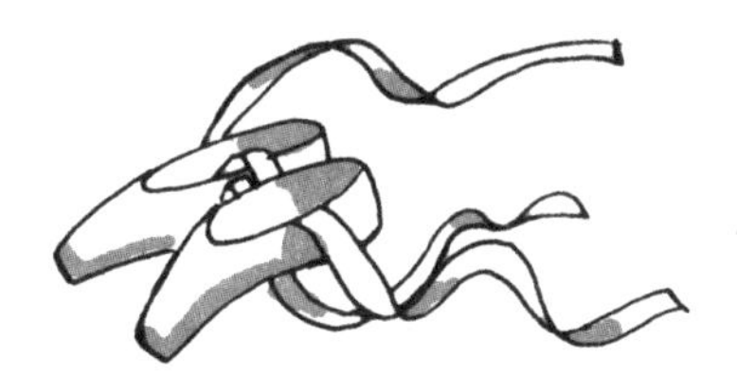

CHE GIORNATACCIA! Peggio di così non poteva andare. Io e la mia lingua lunga!

Nemmeno la matrigna di Biancaneve o quella di Cenerentola potevano essere tanto cattive. Sono confusa e ho solo voglia di dormire. Non ho neanche cenato. Ho sbattuto la porta della mia camera appena sono tornata e mi sono buttata sul letto a piangere. E ora vorrei dormire cent'anni. Sì, proprio come la Bella Addormentata.

Devo averla sognata tutta la notte, non la fiaba, il balletto che si intitola così. Io naturalmente ero Aurora, la protagonista

che nel giorno del suo sedicesimo compleanno deve scegliere il proprio sposo. E così eccomi danzare l'*Adagio della Rosa*, un brano difficilissimo. Sulle punte. Ogni pretendente mi porge una rosa e, quando io la prendo, rimango in equilibrio su una sola gamba e sulla punta… alla fine ho un bel mazzetto di fiori!

Mi sono svegliata stanchissima, ma adesso devo cercare di risolvere tutti i problemi che mi sono piombati addosso.

Ora vi racconto. Ieri pomeriggio era andato tutto bene al centro biologico: avevo comperato i semi e le piante di fragoline insieme a Isabella, che non era ancora diventata una strega. Io ero molto soddisfatta e di buonumore, così ho cominciato a raccontarle del sentiero segreto, del regalo che il nostro vicino ci avrebbe fatto per la nostra palestra... insomma, una parola tirava l'altra e Isabella, furba!, mi faceva domande in continuazione.

Insomma, ho raccontato a Isabella tutto, ma proprio tutto! Che ingenua sono stata!

Quando le ho detto delle nostre esercitazioni ha cercato subito di spiegarmi quanto è difficile la danza. Ma cosa ne sa lei, dico io, che sicuramente non ha mai toccato nemmeno una scarpina da punta!

E poi ha continuato dicendo che papà dovrebbe conoscere il mio desiderio, che non si devono fare le cose di nascosto dai genitori e che di sicuro ho messo Lorenzo

in un brutto pasticcio, perché quando i suoi sapranno che ha mentito su come passa i pomeriggi si arrabbieranno! Se l'è presa perfino con il signor Amedeo che dà ascolto a una banda di ragazzini... sì, proprio così ci ha chiamati: "banda di ragazzini". Era furiosa...

Ma che diritto ha lei di sgridarmi, che non è mia mamma e nemmeno una lontana parente?!

Poi Isabella si è calmata e ha aggiunto: – Devi essere tu però a parlare con tuo padre. Io non gli dirò niente di quello che mi hai raccontato finché non glielo dirai tu. Devi prenderti le tue responsabilità.

Per fortuna! In questo modo a casa le cose potranno filare lisce ancora per un po'.

Quando ho raccontare tutto a Giulia abbiamo architettato un piano insieme: prepareremo l'orto e il giardino segreto tutti insieme, inviteremo anche Lorenzo, le mamme di Giulia e Francesca, e forse anche Max e Daniele, che sono proprio simpatici.

Insomma saremo tanti, e tutti appassionati di danza. E insieme racconteremo

tutto a papà, e lo convinceremo che ballare è la cosa più bella che ci sia.

Così Isabrutta rimarrà sola, terribilmente sola!

Il nostro piano era perfetto, o quasi.

Adesso sono chiusa in camera mia. Papà si è arrabbiato perché Isabella si è messa a piangere. Io non volevo ferirla, giuro. È stato tutto un malinteso. E poi lei poteva anche dirlo subito… se mi avesse detto la verità non sarebbe successo.

Era il giorno in cui avremmo dovuto sistemare tutti insieme le pietre per il nostro sentiero riservato. Sembrava un pomeriggio tranquillo, anche se mi ero accorta che sia il nostro vicino sia la mamma di Giulia continuavano a guardare Isabella. Una volta li ho anche scoperti mentre si lanciavano uno sguardo d'intesa.

Poi tutto è precipitato, per colpa di Max e Daniele.

Con l'aiuto dei nonni e del signor Amedeo avevamo fatto un bel sentiero di pietre che univa il mio giardino con quello della casa di Giulia. Mentre sistemavamo

le piantine di fragole, però, Max e Daniele hanno cominciato a fare dei *grands jetés* tra una pietra e l'altra, ma questo non sarebbe stato niente. Solo che Lorenzo si è messo a imitarli, male naturalmente, perché non è ancora capace, e così è caduto prendendosi una bella storta.

Isabella, che è stata la prima ad accorgersi dell'accaduto, è corsa da lui, gli ha osservato la gamba e ha detto che era il ginocchio, forse i legamenti. Poi ha iniziato a dire che non si fanno passi difficili con i muscoli freddi, che eravamo degli incoscienti, che queste cose succedono a chi vuole imparare da solo, perché la danza classica non è un gioco, che non si deve mai improvvisare. Insomma non la finiva più, sembrava proprio la mia maestra quando è tanto arrabbiata.

Noi siamo rimasti a bocca aperta, non l'avevamo mai vista così furiosa.

Papà allora è intervenuto dicendo che si trattava solo di una botta leggera al ginocchio, che per fortuna i legamenti erano salvi e Lorenzo si è rassicurato.

Ma Isabella ha continuato, rivelando a tutti della nostra palestra e delle lezioni

che diamo a Lorenzo. A questo punto io non ho saputo più stare zitta. Le ho ricordato che aveva promesso di non rivelare il nostro segreto e ho aggiunto che doveva smetterla di comportarsi da mamma, che tanto mamma mia non lo sarebbe mai diventata!

Alle mie parole Isabella si è ammutolita, poi ha preso la sua borsa e se n'è andata via in macchina piangendo.

Allora la mamma di Giulia ci ha detto: – Ma non avete capito chi è?

– Già – ha proseguito il signor Amedeo. – Sapete come si chiama di cognome la vostra Isabella?

Papà, confuso, ha farfugliato: – Mi ha detto di chiamarsi Accorsi, e allora?

La mamma di Giulia sembrava non aspettasse altro, si è seduta e con calma ci ha spiegato: – Si vede che andate poco a teatro e non leggete sul giornale la pagina degli spettacoli. Isabella Accorsi è stata fino a tre anni fa la prima ballerina del Teatro dell'Opera. Poi, durante una prova generale, si è fatta male, molto male, a un ginocchio e da allora non balla più. Anzi, mi hanno detto che si è perfino allontanata

dal mondo della danza. Quando l'ho vista a casa vostra l'ho subito riconosciuta.

Io ho cercato di rendermi invisibile, ma papà mi ha fulminata con uno sguardo e mi ha spedito in camera mia.

E da allora sono qui, in castigo, senza telefono. Ma io *devo* parlare con Giulia, con Lorenzo, con qualcuno! Non ho nemmeno la poltrona della mamma. Chi mi darà un consiglio?

8
Piedi in dentro o piedi in fuori?

IL MIO CASTIGO è durato poco, però. Mi ha salvato la scuola: ho terminato l'anno con voti altissimi, così papà mi ha "graziato".

Ho scoperto che la mamma di Giulia aveva ragione sul conto di Isabella: infatti un pomeriggio mi ha fatto vedere i programmi di sala di alcuni balletti, che lei conserva come un tesoro, su cui ci sono scritti gli interpreti, e Isabella figura sempre come protagonista! Ha danzato nei balletti più famosi: *Giselle*, *La Sylphide* e anche *Il lago dei cigni*, che per una danzatrice è particolarmente difficile perché deve fare due parti importanti: quella

buona di Odette e quella cattiva di Odile. La prima con il tutù bianco, la seconda con quello nero. Ecco spiegato il motivo perché il grande Nureyev le aveva scritto sulla foto: «Alla cara Isabella»!

Io non sono più andata nella palestra di Giulia, anche se so che gli altri hanno continuato a frequentarla e a esercitarsi. Sono riuscita soltanto, con l'aiuto delle nonne, a convincere papà a non farmi lasciare la scuola di danza e a partecipare al saggio.

Credevo che allo spettacolo sarebbero venuti solo papà e i nonni. Invece, nella portineria del teatro, appena arrivata, ho trovato un bouquet di fiori per me, con un biglietto. Erano di Isabella, che mi dava il suo "in bocca al lupo"... (gli auguri non si fanno mai in teatro, sembra che portino sfortuna) roba da non crederci! Ero l'unica del corso ad avere dei fiori, e poi mandati da *lei*, da un'*étoile*...

Non so come ho ballato. So solo che le note della *Polonaise* di Chopin del mio primo pezzo venivano inseguite da quelle del *Minuetto* di Boccherini del secondo e che, durante il finale a cui partecipava tutta la scuola (il *galop* tratto dal *Ballo Excelsior*), mi sembrava di essere sola. Sola con gli applausi, il pubblico e i fiori di Isabella.

Già, i fiori... di sicuro sono un tentativo per rappacificarsi con me. Ma io sarò irremovibile, perché non mi va giù che venga ad abitare da noi, e poi voglio andare alla scuola del Teatro e non sarà certo lei a impedirmelo!

Per fortuna tra qualche giorno io e papà (*da soli!*) ce ne andremo un mese in

Sardegna, proprio dove passavamo le vacanze con la mamma. Chissà, forse gli torneranno in mente gli anni passati e si dimenticherà di Isabella...

Niente da fare, dal mare il papà le ha telefonato tutti i giorni e ho dovuto parlarle anch'io... senza accorgermi mi ritroverò a fare la damigella al loro matrimonio! Speriamo almeno che scelgano la primavera o l'estate prossime, così c'è ancora un po' di tempo visto che è solo settembre.

È ricominciata la scuola. Ed è cambiato quasi tutto. Sarà un anno terribile, lungo e brutto. Lo so.

Giulia non è più nella mia scuola, ormai fa la prima media. È tristissima, non vuole vedere nessuno e si è chiusa in casa. Dopo aver fatto la domanda di ammissione alla scuola del Teatro, ha dovuto fare una serie di esami.

Prima la visita medica per vedere se il suo fisico era adatto a fare danza (forse non lo sapete, ma bisogna essere ben proporzionati, avere il collo, le braccia e le gambe lunghi e non essere troppo tondetti), poi il mese di prova a giugno...

avrebbe dovuto fare un altro mese a settembre e poi sapere a ottobre se avrebbe iniziato l'anno o no. Però è stata fermata a giugno... insomma, Giulia non entrerà nella scuola del Teatro!

Vorrei tanto poterla confortare, starle vicino, ma i nonni dicono che devo lasciarla in pace, sta soffrendo troppo. Vuoi vedere che Isabella qualche ragione ce l'ha a dire che la danza è una disciplina durissima?

Oltre a Giulia quest'anno non vedrò più nemmeno Lorenzo, perché i suoi genitori si sono trasferiti a Genova per lavoro.

L'altro giorno ho ricevuto una sua telefonata: mi chiamava da un telefono pubblico e doveva fare in fretta, perché la sua scheda era quasi esaurita. I suoi hanno saputo che gli piacerebbe studiare danza e si sono arrabbiati, come previsto. Però è riuscito a farsi iscrivere a una scuola di ginnastica artistica: almeno volteggerà sugli anelli e imparerà a fare il salto mortale... così ora è presissimo, non ha un minuto libero e alla sera è stanchissimo. Io non sapevo cosa rispondergli, era tanto giù. Allora gli ho detto che anche

Nureyev si è messo a studiare danza seriamente un po' tardi rispetto agli altri ballerini, e che non è tanto importante se quest'anno non fa danza, intanto fa ginnastica che va benissimo lo stesso.

Non sono sicura però della risposta che gli ho dato. Forse Isabella potrebbe darmi un consiglio...

E va bene, sono pronta al sacrificio! Lo farò per Lorenzo e Giulia. Ma anche per me. Voglio passare l'esame di ammissione alla scuola di ballo del Teatro, quindi devo assolutamente sapere perché non hanno ammesso Giulia. Io sono meno brava di lei: non riesco ancora a fare tutti i passi, ogni tanto sbaglio il movimento delle braccia, faccio anche qualche "nodo" con i piedi e la testa non va sempre dalla parte dove dovrebbe andare.

Chiederò a Isabella se sa perché Giulia non è stata presa e se la ginnastica va bene per Lorenzo.

Sono pronta davanti al telefono. Faccio un bel respiro, sollevo la cornetta e compongo il numero... tutto d'un fiato propongo a Isabella un incontro, lei accetta con entusiasmo, ma io non mi fido ancora fino in fondo di lei... non le darò troppa confidenza e mi vestirò di scuro, da grande insomma: non voglio che mi tratti da bambina, e soprattutto non voglio paternali. Per quest'anno ne ho già avute troppe!

Ed eccomi in jeans e felpa blu notte, con una sciarpa rossa al collo giusto per dare "una nota di colore" (come mi ha detto nonna Delia prima di darmi il suo "in bocca al lupo") davanti a una tazza di cioccolata con panna nella pasticceria più bella della mia cittadina.

Non ho resistito: sono diventata subito

gentile, tutta zucchero e miele, anzi panna e cacao! Isabella mi ha spiegato tante cose e forse ora possiamo essere quasi amiche, non madre e figlia certo, però quasi amiche sì...

Secondo lei Giulia è stata scartata per via dei suoi piedi. Io non me ne ero accorta, ma sembra che le sue punte siano leggermente all'indentro mentre, in tutti gli esercizi, i danzatori devono tenere le punte dei piedi in fuori. E a pensarci bene è vero: la *prima*, la *seconda*, la *terza*, la *quarta*, la *quinta* posizione hanno tutte le punte in fuori, a differenza della *sesta* che ha i due piedi paralleli. In più Giulia è un po' grassottella, così fa fatica ad alzare le gambe e a saltare.

Lorenzo invece fa bene a seguire i corsi di ginnastica, perché i ragazzi hanno un fisico diverso dal nostro ed è positivo che i ballerini abbiano un corpo atletico, muscoloso.

Ma anche il calcio fa bene perché, correndo, il fiato migliora, e anche questo è indispensabile per un ballerino. Così, quando fra un anno o due o tre, i suoi genitori capiranno che per lui la danza è

una vera passione e gli permetteranno di seguire una scuola, il suo fisico sarà già allenato.

Sono tornata a casa soddisfatta di tutto quello che Isabella mi aveva detto, sono anche stata bene con lei ma di certo, visto quello che era successo con il segreto di Lorenzo, non le ho detto che l'anno prossimo voglio provare anch'io a essere ammessa alla scuola di ballo del Teatro. Nella mia stanza mi sono messa davanti allo specchio e mi sono guardata i piedi, sopra e sotto, davanti e dietro. Sono salita sulle mezze punte. Poi mi sono guardata i fianchi, mi sono anche pesata e mi sono misurata in altezza.

A me sembra di andare bene. E comunque sono sicura di non avere i piedi in dentro!

9
Max e Daniele

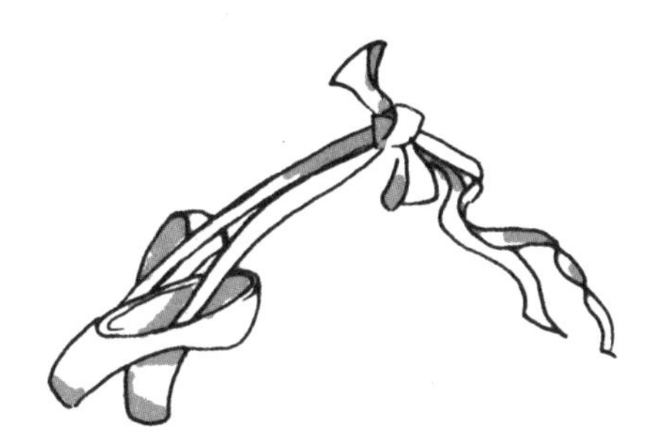

FINALMENTE GIULIA si è fatta viva. Sta superando la delusione (anche se per sua mamma non sarà facile accettare che lei non diventerà una grande ballerina...), così le ho chiesto se voleva che andassimo a danza insieme, con l'autobus, poi come al solito mio papà ci avrebbe riportate a casa in macchina con Francesca. Lei ha accettato, anche se poi mi ha confessato che da quando l'hanno esclusa dall'esame non ha più messo piede nella "nostra" palestra. E la capisco!

Per il resto, papà è tornato da altri due congressi... senza nuove fidanzate!

Tutti e quattro i nonni, adesso che fa

freddo, sono partiti per il mare, e Isabella viene a cena da noi sempre più spesso. Qualche volta cucina anche, quando Tecla non c'è. L'altra sera, per esempio, ho invitato a cena Francesca e Isabella ci ha fatto la pizza, quella mitica, con gamberetti e rucola!

L'altro giorno, poi, a danza è successa una cosa davvero strana. Max e Daniele mi hanno chiesto se ero tornata nella palestra di Giulia poi, sottovoce perché la maestra ci sgrida se ci scopre a parlare durante la lezione, mi hanno chiesto se ci si poteva vedere per bere una cosa il pomeriggio seguente. Che roba: un invito da due ragazzi più grandi di me io proprio non l'avevo mai ricevuto!

Malgrado la timidezza, ho accettato: il papà di Francesca ha un bar poco distante da casa nostra, così ho detto loro che ci si poteva vedere lì. E poi l'ho proposto anche a Francesca: è più emozionata di me, non è mai uscita con un ragazzo, figuriamoci con due!

In realtà non riesco proprio a immaginare cosa vogliano Max e Daniele: ci hanno sempre snobbato... sì, ogni tanto

parlavano con Giulia e con le ragazze più grandi, ma noi "piccole" era come se non esistessimo. Anche nella palestra di Giulia ci rivolgevano giusto due parole.

Però voglio mettermi carina. L'ho detto anche a Francesca: niente ricamini e colletti bianchi, come quelli che le fa indossare la sua mamma. Semmai le presto qualcosa io. Isabella per il mio compleanno mi ha regalato un pullover di lana bordeaux e un giacchino di jeans con il collo di pelliccia (ecologica, naturalmente!): magari glieli presto. Dobbiamo fare la figura delle ragazze, non delle bimbette!

Proprio non mi aspettavo un incontro del genere: ci siamo seduti al tavolo del bar di Francesca alle tre del pomeriggio e ci siamo alzati alle otto! Basta dire che è stato suo papà ad accompagnarci a casa tutti e quattro in macchina.

Abbiamo preso la cioccolata con la panna, un'aranciata e anche un panino. Ha offerto tutto il papà di Francesca. Deve essere rimasto molto impressionato dalla nostra serietà: infatti abbiamo lavorato,

la-vo-ra-to dico, per ben cinque ore. E adesso che sono quasi le undici di sera devo ancora studiare storia per domani. Però ne valeva la pena!

Io e Francesca innanzitutto siamo rimaste senza parole per il motivo dell'incontro. Siete pronti? Anche Max e Daniele hanno intenzione di tentare l'ammissione alla scuola del Teatro! E io che pensavo di essere l'unica! Quindi vogliono assolutamente ritornare nella palestra di Giulia per degli allenamenti extra.

E fin qui potrebbe anche essere facile. Ancora qualche giorno per farle passare i nervi e poi Giulia "riaprirà" di sicuro la palestra.

Ma non basta, vogliono anche un'insegnante!

E io dove la vado a trovare? In un primo momento non capivo cosa volessero da me. Mi sa che Giulia ha ragione: a volte sono proprio lenta! Non avevo assolutamente colto che volessero come insegnante proprio Isabella!

Ci ho messo cinque ore ad accettare di parlare con lei della loro proposta. Prima volevo sapere tutto, dico tutto, dell'esame,

di come ci si deve preparare, dei documenti necessari e di ogni altra cosa. Poi Max e Daniele hanno cominciato a dire che oggi molta danza ha per protagonisti gli uomini, che il ballerino non è più un *porteur,* cioè un sostegno per la danzatrice, come una volta, che Béjart, uno dei più grandi coreografi del Novecento, ha rivoluzionato la figura maschile dando all'uomo un ruolo preciso... a quel punto mi sono arrabbiata e ho risposto loro che Béjart aveva fatto ballare in *Bolero* anche Suzanne Farrel e Luciana Savignano e che quindi questo balletto, ad esempio, non è solo al maschile (anche se so che Jorge Donn e Patrick Dupont sono stati strepitosi)! I due sono rimasti sorpresi dalla mia reazione. Nessuno sa che io ho tanti libri sulla danza, che leggo al posto delle favole, e che ho anche numerose videocassette, che guardo al posto dei cartoni! Insomma il pomeriggio si è trasformato in breve tempo in una gara di "chi ne sa di più".

10
Palcoscenico... aspettami!

L'ARRIVO DI ISABELLA ha ribaltato la mia vita. Papà è sempre allegro, i nonni le si sono affezionati... e io ora sono qui, puntuale davanti alla solita cioccolata con panna, con tutte le mie richieste da farle.

Isabella come sempre è bellissima, truccata e vestita con eleganza. Ci credo che piace a papà!

– Avanti dimmi tutto, sono sicura che hai un sacco di cose da raccontarmi – ha iniziato così, senza preamboli. Di lei mi piace questo, che va subito al sodo, non è un tipo che gira attorno al discorso.

Ho cominciato allora a parlarle di Max

e Daniele, delle loro richieste e le ho domandato se poteva aiutarli.

– Un'impostazione ai piedi, alle braccia, alla schiena, potrei anche dargliela. Ma insegnare loro i passi no, per tanti motivi. Ai ragazzi occorre un insegnante uomo, soprattutto oggi che devono sviluppare meglio la loro potenza. Anche perché non è importante che sappiano ballare per entrare nella scuola del Teatro, l'importante è che imparino in fretta, che siano musicali e... che amino la danza fino al sacrificio. Perché di sacrifici gliene chiederanno tanti se saranno ammessi.

– Secondo te li prenderanno anche se hanno già tredici anni? – le ho chiesto.

– Se hanno il fisico giusto e sono scattanti, penso proprio di sì. Il numero dei ragazzi che fanno la domanda sarà senz'altro inferiore a quello delle ragazze, quindi per loro sarà un po' più facile passare la selezione, avranno meno concorrenza.

– È così difficile la vita del ballerino? – le ho domandato leccando due volte il cucchiaino con l'ultima goccia di cioccolata calda.

– Difficile e dura, durissima – ha sor-

riso. – E quando diventi la prima, quando ti sembra che tutti i sacrifici fatti siano alle tue spalle, quando i riflettori si accendono solo su di te e hai il camerino pieno di fiori, nemmeno allora puoi assaporare tranquillamente il successo. A me, come a tanti altri ballerini, è capitato di avere un infortunio: molti si sono ripresi e hanno continuato come se non fosse successo niente, altri hanno dovuto cambiare genere di danza, perché il balletto classico pretende la perfezione stilistica assoluta, e poi ci sono quelli che non si sono ripresi, come me...

– Ma tu potresti danzare ancora, potresti ballare in televisione, partecipare alle gare di danza sportiva, sì, insomma, quelle di valzer o di tango... potresti insegnare, fare la coreografa... perché non fai nulla di tutto questo?

Erano mesi che avrei voluto farle questa domanda.

– Perché amo troppo la danza. Io volevo fare la ballerina, volevo danzare *Giselle* da protagonista e ce l'ho fatta. I sacrifici sono stati tanti, ma ne è valsa la pena. La gioia che ti dà danzare sul palco-

scenico, immedesimarti in un personaggio che ami, che senti dentro, è immensa. Puoi recitare e fare l'attrice, puoi usare la voce e diventare cantante, o puoi danzare. In fondo il mezzo non conta, conta quello che riesci a comunicare al pubblico. Con le gambe potevo portare alla gente il mio messaggio. Ora non più. Sono fortunata perché posso ancora camminare, ma non riesco, almeno per ora, a pensare alla danza in un altro modo che non sia ballare sul palcoscenico di un teatro.

Davanti a quella risposta non sono riuscita più a dire nulla. Ho sentito un nodo alla gola e ho trattenuto a stento le lacrime.

Sono rimasta zitta a guardare il fondo della mia tazza vuota.

– Vuoi un'altra cioccolata calda? Io sì! –. È stata Isabella a togliermi dall'imbarazzo.

Allora ho raccolto tutto il mio coraggio e mi sono buttata: – Certo che voglio un'altra cioccolata. Ma vorrei anche che tu venissi a vedere una mia lezione di danza. Domani la scuola sarà aperta ai genitori: papà sarà in studio, i nonni sono

al mare, però mi farebbe piacere se ci fosse qualcuno a guardarmi...

La reazione di Isabella mi ha lasciata di stucco: come se niente fosse, sicuramente per non imbarazzarmi troppo, mi ha detto: – OK, vengo, ma a una condizione: non strafare, fai la tua lezione tranquilla, come se io non ci fossi, d'accordo?

Non so se è stata la gioia o la cioccolata, che mi mette sempre allegria, fatto sta che mi sono buttata tra le sue braccia e le ho scoccato un bel bacio rumoroso sulla guancia.

– Non sei male, sai?

Tutto qui? Sono seduta in macchina, sul sedile dietro, stiamo tornando da danza. Papà e Isabella sono davanti, Francesca questa volta non c'è, è a casa con il raffreddore.

Sono da sola ad ascoltare il responso.

– Hai le braccia da ammorbidire, i gomiti che cadono un po', le ginocchia da stendere. Non ti accorgi che fai spesso gli esercizi con le ginocchia piegate quando devono essere stese? – ha osservato Isabella.

E poi, cos'altro non va bene? Sono agitatissima, quando mai le ho detto di venire!

– C'è da lavorare, Vivy, per stendere quelle gambe, ma hai un'ottima apertura naturale. Certo, il piede è da costruire, ma per fortuna non è piatto, e poi hai il collo lungo.

Non ci posso credere: prima elenca tutti i miei difetti, poi le mie qualità... ma chi si crede di essere, dove vuole arrivare?

– Allora glielo dici tu o glielo dico io a Vivy? – ha continuato lei rivolgendosi a papà, che è rimasto tutto il tempo zitto sorridendo sotto i baffi...

– Dunque, tesoro... – ha iniziato papà.

«Ecco, se comincia con "tesoro"» ho pensato «andiamo male...».

– Isabella ha una appartamento in città, quello dove abitava quando danzava in teatro. Ora gli inquilini se ne vanno e ha deciso di riutilizzarlo. È un appartamento che farebbe comodo anche a me, perché così quando faccio tardi in ospedale mi posso fermare e non devo fare tutta la strada in macchina per tornare a casa di notte...

– E io, rimango a casa sola? – ho esclamato. Ma che cosa stavano architettando alle mie spalle?

Per fortuna è intervenuta Isabella a chiarire tutto: – Tuo papà l'ha presa un po' alla lontana. Vivy, sei grande ormai e sicuramente hai già capito tutto...

Lo sapevo, ecco la grande notizia! Ma me lo dovevano proprio dire in macchina, senza neanche guardarmi negli occhi?

– Vivy, io e Isabella vorremmo sposarci, sempre che tu sia d'accordo –. Finalmente papà ha avuto il coraggio di dirmelo... – Avremo due case: questa, con il giardino, l'orto biologico e le tue amiche,

e quella in città, grande, piuttosto vicina al Teatro. Perché se un giorno volessi anche tu fare l'esame di ammissione e ti prendessero dovresti abitare in città, non ti sembra?

Io, che lo stavo ascoltando distrattamente, non ho capito subito. Ma quella frase mi ha fatto tornare completamente in me. Mi sono buttata su di loro e ho cominciato a piangere... una figura tremenda a ripensaci!

Papà ha dovuto fermare la macchina perché le mie lacrime si erano trasformate in singhiozzi. Credeva che non fossi contenta del loro matrimonio, e mi ha abbracciata attraverso il sedile.

Ma chi pensava più al matrimonio! Andrò alla scuola del Teatro. Perché l'esame lo passerò, non so come ma lo passerò!

E se non ci riuscirò la prima volta non mi chiuderò in casa come Giulia, ma lo ripeterò l'anno dopo!

Poi mi sono staccata dall'abbraccio di papà. Li ho guardati entrambi, lui e Isabella, erano emozionati e tenerissimi.

Sì, la vita mi aveva messo alla prova negli ultimi tempi, ma ora era il momento

di guardare avanti e di pensare al futuro. Insieme a loro due.

In un attimo ho visto passare nella mia mente l'anno trascorso, veloce come i fotogrammi di un film: il mio segreto, celato per tanti mesi, ora poteva finalmente essere svelato e attuato...

Bisogna sempre cercare di realizzare i propri sogni!

COME INIZIARE A TRASFORMARE UN SOGNO IN REALTÀ

Condividi con Vivy il sogno di diventare "prima ballerina"? Eccoti allora curiosità, informazioni e consigli per trasformarti in un'allieva... étoile*!*

COMINCIAMO CON LE POSIZIONI DEI PIEDI...

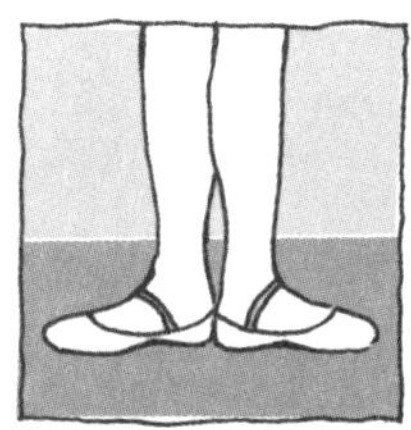
Prima posizione

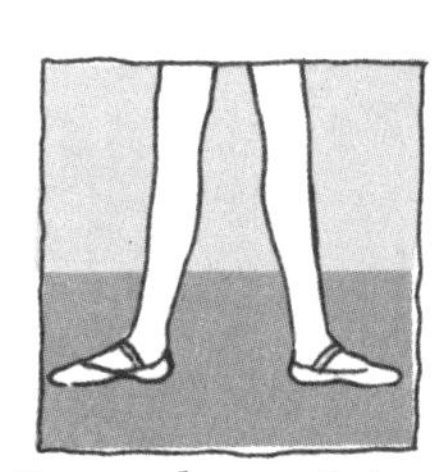
Seconda posizione

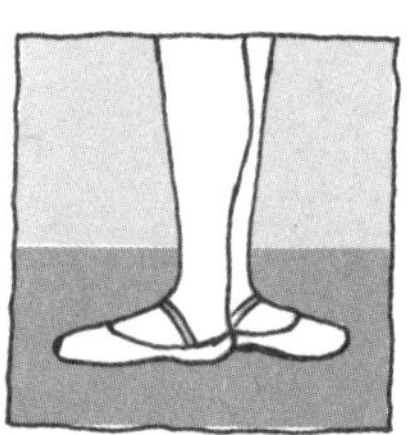
Terza posizione

Quarta posizione

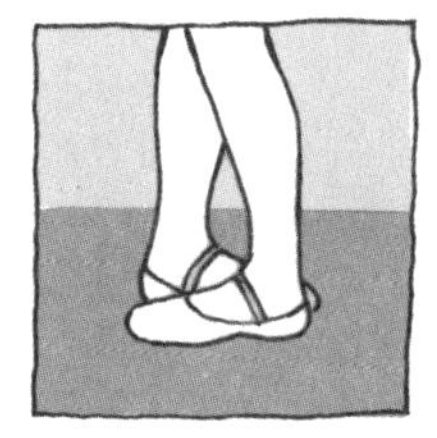
Quinta posizione

A PASSO DI DANZA!

La prima scuola di ballo è nata proprio in Italia, a Milano per la precisione, nel XVI secolo. Vi studiavano i ballerini che poi sarebbero andati a "lavorare" nelle corti dei grandi sovrani europei.
La danza classica aveva infatti molto successo, soprattutto presso la corte russa di San Pietroburgo e quella francese: ecco perché i passi si chiamano con nomi francesi.
In queste pagine ne trovi alcuni...

Port de bras

Échappé

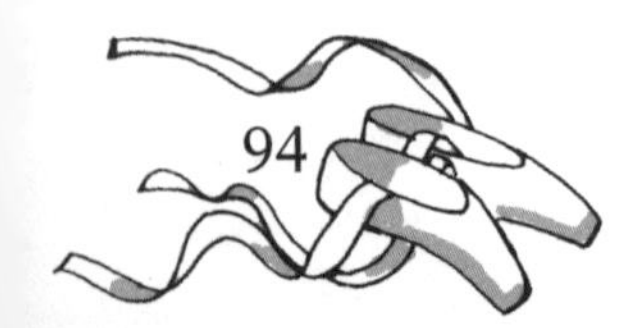

Arabesque

Plié

Assemblé

Esistono tanti altri passi, certi più difficili, altri meno, tutti comunque ugualmente affascinanti.
Perché non ti diverti a cercarli su un dizionario del balletto?

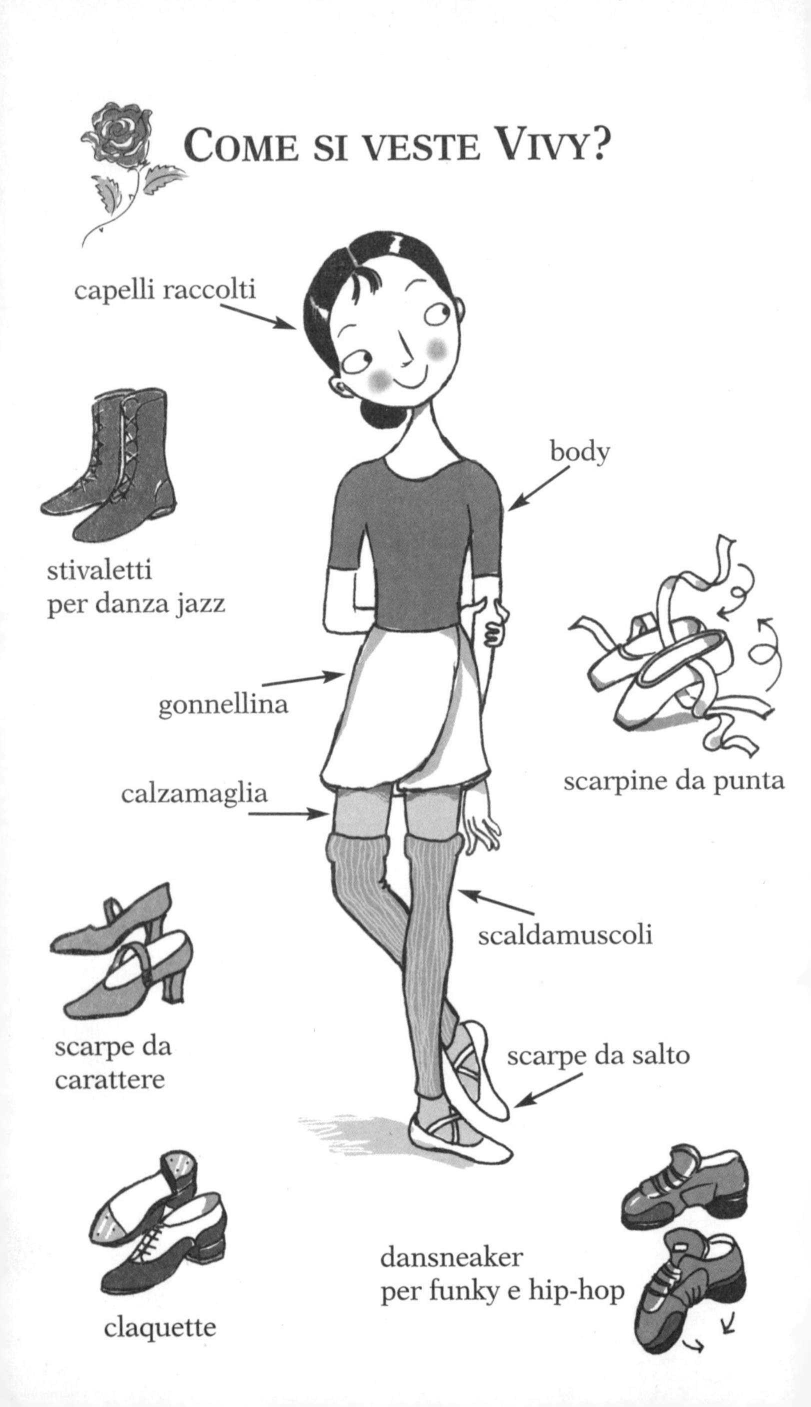
COME SI VESTE VIVY?
capelli raccolti
stivaletti
per danza jazz
body
gonnellina
scarpine da punta
calzamaglia
scaldamuscoli
scarpe da
carattere
scarpe da salto
claquette
dansneaker
per funky e hip-hop

Come si veste Lorenzo?

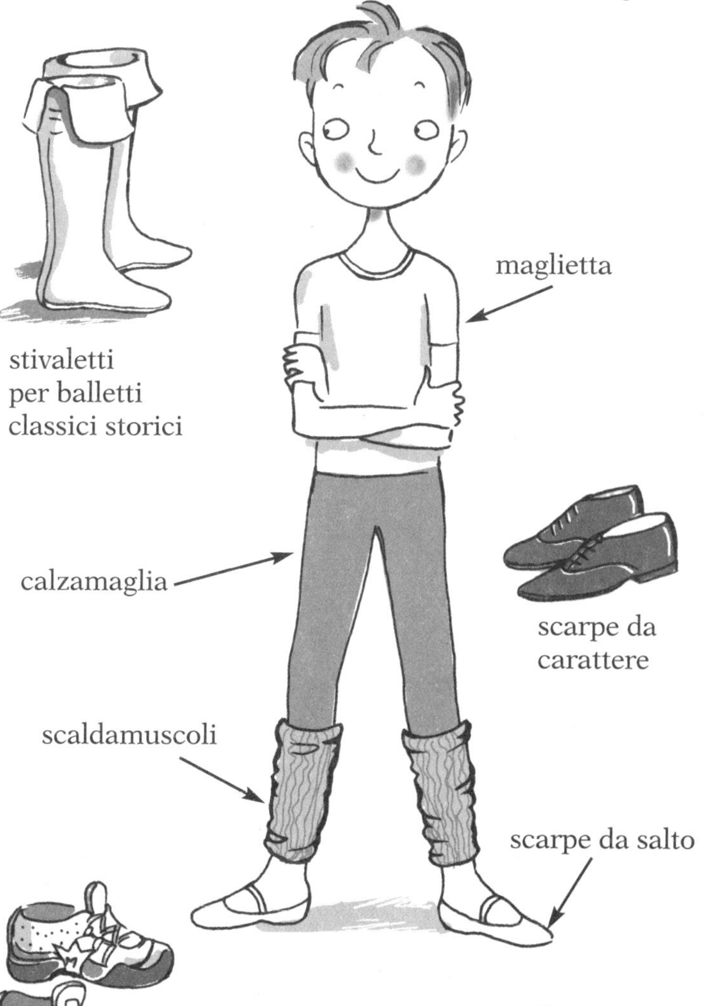

dansneaker
per funky e hip-hop

DIECI PICCOLI CONSIGLI PER CHI SOGNA DI DANZARE

1. Ascolta tanta musica, e soprattutto di tanti tipi: non solo rock, rap o disco. Prova ad ascoltare qualche brano di musica classica: inizia con Mozart, Beethoven Chopin, Bach, Liszt, Ciaikovski e Vivaldi.

2. Cerca con i tuoi genitori una buona scuola di danza, pubblica o privata. Deve avere aule grandi con il pavimento in legno o in linoleum, docce pulite e insegnanti riconosciuti dalle istituzioni.

3. Fai molto sport. Il corpo di un ballerino è come quello di uno sportivo: deve essere tenuto sempre in allenamento, deve essere agile, leggero e scattante. Divertiti a correre nel parco vicino a casa tua, a nuotare in piscina, a giocare a palla con gli amici.

4. Prova a fare l'esame per entrare in una scuola professionale: anche se ti sembra impossibile potresti diventare una stella della danza! E fare un esame serve comunque a migliorarsi e a misurare le proprie capacità.

5. A scuola di ballo, anche se l'esercizio è un po' noioso, mantieni la concentrazione: è facile sbagliare un passo, e ancor più facile farsi male. Non chiacchierare, fai attenzione alle spiegazioni dei passi. Porta abiti semplici e in ordine, come vuole la scuola, e i capelli sempre raccolti.

6. Cerca notizie sui balletti che si programmano nella tua città. Dove le puoi trovare? Sulle riviste specializzate (quelle che trattano solo di danza), sui quotidiani (occhio alle pagine di cultura e spettacolo!), sui manifesti per strada... o magari anche su Internet: in rete c'è davvero di tutto sulla danza, in Italia e nel mondo!

7. Compra un libro sulla storia della danza e divertiti a scoprire come è nata e come si è sviluppata quest'arte meravigliosa. Troverai moltissime curiosità divertenti!

8. Fatti portare il più spesso possibile a vedere balletti, ma anche concerti e spettacoli di prosa. Il teatro è un mondo magico, che ti affascinerà.

9. Leggi sempre la storia del balletto che andrai a vedere a teatro, le biografie degli interpreti e dell'autore delle musiche... lo spettacolo ti sembrerà molto più semplice e interessante!

10. Natale e il compleanno sono buone occasioni per chiedere in regalo delle videocassette di celebri balletti: potrai guardarle ogni volta che vorrai, e vedrai la danza in televisione con altri occhi.

Insomma... la danza è una disciplina durissima ma meravigliosa. Occorre molta determinazione per raggiungere dei buoni risultati, grande serietà, grande fantasia, ma se lo vuoi, tutto è possibile!

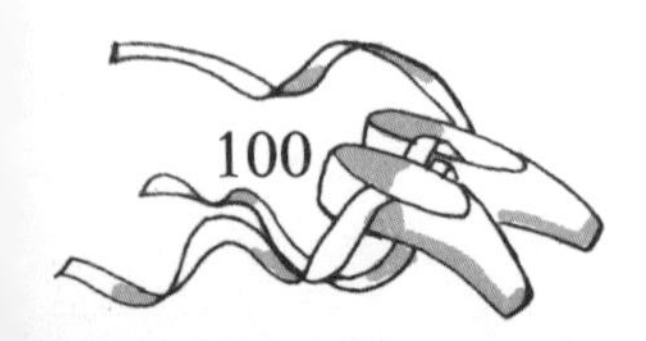

Queste sono le scuole professionali di danza in Italia

(In ordine alfabetico)

Accademia Nazionale di Danza
Direzione: Prof.ssa Margherita Parrilla
Largo Arrigo VII 5, 00153 Roma
www.accademianazionaledanza.it

Scuola di ballo dell'Opera di Roma
Direzione: Prof.ssa Paola Iorio
Via Firenze 72, 00184 Roma
www.operaroma.it/bacheca/bacheca2.htm

Scuola di ballo del Teatro alla Scala di Milano
Direzione: Prof.ssa Annamaria Prina
Via Campolodigiano 4, 20122 Milano
e-mail: scalascuolaball@tin.it

Scuola di ballo del Teatro San Carlo di Napoli
Direzione: Prof.ssa Anna Razzi
Via San Carlo 98/F, 80132 Napoli
www.teatrosancarlo.it

E inoltre:
Liceo Teatro Nuovo Coreutico
Direzione: Prof.ssa Germana Erba
Corso Massimo d'Azeglio 17, 10126 Torino
www.liceoteatronuovo.com

Indice

Chi è Aurora Marsotto?

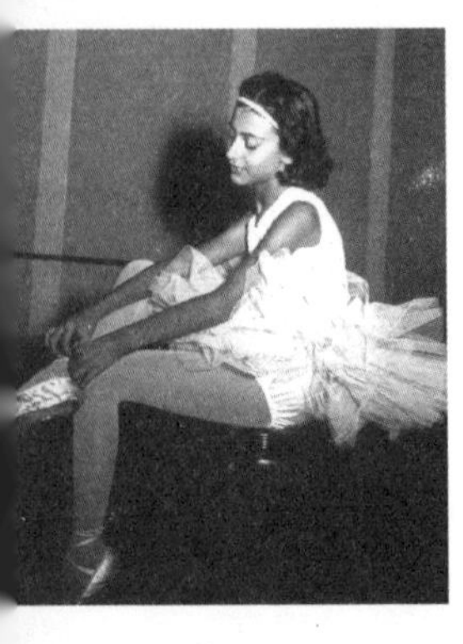

Non so se fosse la danza a piacermi di più, o la musica, o le scene, o i costumi. Io so che da piccola, ma proprio da piccolissima, mi piaceva tanto andare a teatro con i miei genitori a vedere i balletti.
Era per me come entrare in una scatola magica dove aspettavo accadesse una favola. Il cuore cominciava a battere forte quando le luci si spegnevano lentamente e quando, ancora più lentamente, si apriva il sipario.
Ecco, ero immersa in una magia e mi sentivo trasportata sul palcoscenico, protagonista insieme agli interpreti.
La danza però mi è venuta davvero incontro una sera d'estate. Sentivo che quella serata sarebbe stata diversa: c'era eccitazione al Parco di Nervi, i miei genitori attendevano "un russo eccezionale". E lui fece cose mirabili, in quella notte stellata in cui il giardino genovese era l'ideale cornice per *Il Lago dei Cigni*. Alla fine, gli applausi sembravano non terminare mai: *lui* era Rudolf Nureyev!
Io, però, non ho iniziato a studiare danza perché volevo ballare come Nureyev: l'ho fatto forse perché ero molto alta, e i miei volevano che imparassi a muovermi con più grazia di una giraffa, o forse perché alla mia mamma piaceva moltissimo la danza e i suoi genitori non le aveva permesso di studiarla.
All'inizio non fu poi così bello, anzi fu noioso. Ma

c'era la musica, il pianoforte, e a me tutto sembrava facile. S'imparavano tante cose: le forcine da infilare in un certo modo tra i capelli, le vesciche ai piedi da evitare, la scatola della pece vicino a cui ci si fermava più per chiacchierare che per sporcare le punte delle scarpe per non scivolare.
Poi, un giorno, scoprii che a me piaceva di più stare dietro le quinte che sul palcoscenico e che la danza ha una storia antica quanto l'uomo. È stata la prima forma di espressione umana: i popoli hanno cominciato a comunicare tra loro attraverso i gesti, e festeggiavano le nascite e le morti, i raccolti e le stagioni proprio con... la danza!
Da allora racconto le sue storie, i suoi protagonisti, i suoi spettacoli, ma a voi, questa volta, ho raccontato una storia speciale, che è già diventata quella di tanti altri ragazzi e che un giorno potrebbe essere anche la vostra!

Aurora Marsotto

Chi è Desideria Guicciardini?

Desideria a 6 anni

Quando ero piccola amavo moltissimo i libri. Mi piaceva leggerli, guardarli, collezionarli. Ce n'erano però tanti senza illustrazioni. Allora io me le facevo da sola e mi divertivo molto.
Poi ho frequentato il Liceo Classico, dove si legge un sacco ma non si disegna mai. Siccome mi veniva voglia di disegnare quello che avevo letto, lo facevo a casa, un po' di nascosto.
Quando sono diventata più grande ho avuto un vero colpo di fortuna: ho fatto vedere i miei disegni a una casa editrice, e subito loro mi hanno chiesto di illustrare un libro. Da allora sono passati vent'anni, ma io non ho mai smesso di disegnare.
Così, quello che più amavo fare è diventato il mio lavoro!

Desideria Guicciardini

Desideria Guicciardini

Serie Arancio
dai 9 anni

1. Mino Milani, *Guglielmo e la moneta d'oro*
2. Christine Nöstlinger, *Diario segreto di Susi. Diario segreto di Paul*
3. Mira Lobe, *Il naso di Moritz*
4. Juan Muñoz Martín, *Fra Pierino e il suo ciuchino*
5. Eric Wilson, *Assassinio sul "Canadian-Express"*
6. Eveline Hasler, *Un sacco di nulla*
7. Hubert Monteilhet, *Di professione fantasma*
8. Carlo Collodi, *Pipì, lo scimmiottino color di rosa*
9. Alfredo Gómez Cerdá, *Apparve alla mia finestra*
10. Maria Gripe, *Ugo e Carolina*
11. Klaus - Peter Wolf, *Stefano e i dinosauri*
12. Ursula Moray Williams, *Spid, il ragno ballerino*
13. Anna Lavatelli, *Paola non è matta*
14. Terry Wardle, *Il problema più difficile del mondo*
15. Gemma Lienas, *La mia famiglia e l'angelo*
16. Angelo Petrosino, *Le fatiche di Valentina*
17. Jerome Fletcher, *La voce perduta di Alfreda*
18. Ken Whitmore, *Salta!!*
19. Dino Ticli, *Sette giorni a Piro Piro*
21. Peter Härtling, *Che fine ha fatto Grigo?*
22. Roger Collinson, *Willy e il budino di semolino*
23. Hazel Townson, *Lettere da Montemorte*
24. Chiara Rapaccini, *La vendetta di Debbora (con due "b")*
25. Christine Nöstlinger, *La vera Susi*
26. Niklas Rådström, *Robert e l'uomo invisibile*
27. Angelo Petrosino, *Non arrenderti, Valentina!*
28. Roger Collinson, *Willy acchiappafantasmi e gli extraterrestri*
29. Sebastiano Ruiz Mignone, *Il ritorno del marchese di Carabas*
30. Phyllis R. Naylor *Qualunque cosa per salvare un cane*
33. Anna Lavatelli, *Tutti per una*
34. G. Quarzo - A. Vivarelli, *La coda degli autosauri*, Premio "Il Battello a Vapore" 1996
35. Renato Giovannoli, *Il mistero dell'Isola del Drago*
36. Roy Apps, *L'estate segreta di Daniel Lyons*
37. Gail Gauthier, *La mia vita tra gli alieni*

38. Roger Collinson, *Zainetto con diamanti cercasi*
39. Angelo Petrosino, *Cosa sogni, Valentina?*
40. Sally Warner, *Anni di cane*
41. Martha Freeman, *La mia mamma è una bomba!*
42. Carol Hughes, *Jack Black e la nave dei ladri*
43. Peter Härtling, *Con Clara siamo in sei*
44. Galila Ron-Feder, *Caro Me Stesso*
45. Monika Feth, *Ragazza ladra*
46. Dietlof Reiche, *Freddy. Vita avventurosa di un criceto*
47. Kathleen Karr, *La lunga marcia dei tacchini*
48. Alan Temperley, *Harry e la banda delle decrepite*
49. Simone Klages, *Il mio amico Emil*
50. Renato Giovannoli, *Quando eravamo cavalieri della Tavola Rotonda*
51. Louis Sachar, *Buchi nel deserto*
52. Luigi Garlando, *La vita è una bomba!*, Premio "Il Battello a Vapore" 2000
53. Sebastiano Ruiz Mignone Guido Quarzo, *Pirati a Rapallo*
54. Chiara Rapaccini, *Debbora va in tivvù!*
55. Henrietta Branford, *Libertà per Lupo Bianco*
56. Pinin Carpi, *Cion Cion Blu*
57. Louis Sachar, *C'è un maschio nel bagno delle femmine!*
58. Dino Ticli, *Ritorno a Piro Piro*
59. Ennio Cavalli, *I gemelli giornalisti*
60. A. Lavatelli - A. Vivarelli, *cara C@rla tua Daian@*
61. Luigi Garlando, *Da grande farò il calciatore*
62. Teresa Buongiorno, *Io e Sara, Roma 1945*
63. Roberto Piumini, *Il grande cavallo*
64. Beatrice O. Harrell, *Il grande sogno di Lupo Veloce*
65. Aurora Marsotto, *Da grande farò la ballerina*

Serie Arancio ORO

1. Renato Giovannoli, *I predoni del Santo Graal*, Premio "Il Battello a Vapore" 1995
3. Peter Härtling, *La mia nonna*
5. Katherine Paterson, *Un ponte per Terabithia*
6. Henrietta Branford, *Un cane al tempo degli uomini liberi*
7. Sjoerd Kuyper, *Robin e Dio*
8. Louis Sachar, *Buchi nel deserto*
9. Henrietta Branford, *Libertà per Lupo Bianco*

Serie Rossa
dai 12 anni

1. Jan Terlouw, *Piotr*
2. Peter Dickinson, *Il gigante di neve*
3. Asun Balzola, *Il giubbotto di Indiana Jones*
4. Hannelore Valencak, *Il tesoro del vecchio mulino*
6. Miguel Ángel Mendo, *Per un maledetto spot*
7. Mira Lobe, *La fidanzata del brigante*
8. Lars Saabye Christensen, *Herman*
9. Bernardo Atxaga, *Memorie di una mucca*
11. Mino Milani, *L'ultimo lupo*, Premio "Il Battello a Vapore" 1993
12. Miguel Ángel Mendo, *Un museo sinistro*
13. Christine Nöstlinger, *Scambio con l'inglese*
14. Joan Manuel Gisbert, *Il talismano dell'Adriatico*
15. Maria Gripe, *Il mistero di Agnes Cecilia*
17. Christine Nöstlinger, *Furto a scuola*
18. Loredana Frescura, *Il segreto di Icaro*
19. José Antonio del Cañizo, *Muori, canaglia!*
20. Emili Teixidor, *Il delitto dell'Ipotenusa*

21. Katherine Paterson, *La grande Gilly Hopkins*
22. Miguel Ángel Mendo, *I morti stiano zitti!*
23. Ghazi Abdel-Qadir, *Mustafà nel paese delle meraviglie*
24. Robbie Branscum, *Il truce assassinio del cane di Bates*
25. Karen Cushman, *L'arduo apprendistato di Alice lo Scarafaggio*
26. Joan Manuel Gisbert, *Il mistero della donna meccanica*
27. Katherine Paterson, *Banditi e marionette*
29. Renate Welsh, *La casa tra gli alberi*
30. Berlie Doherty, *Le due vite di James il tuffatore*
31. Anne Fine, *Complotto in famiglia*
32. Ferdinando Albertazzi, *Doppio sgarro*
33. Robert Cormier, *Ma liberaci dal male*
34. Nicola Cinquetti, *La mano nel cappello*
35. Janice Marriott, *Lettere segrete a Lesley*
36. Michael Dorris, *Vede oltre gli alberi*
37. Robert Cormier, *Darcy, una storia di amicizia*
38. Gary Paulsen, *La tenda dell'abominio*
39. Peter Härtling, *Porta senza casa*
40. Angelo Petrosino, *Ciao, Valentina!*
41. Janice Marriott, *Fuga di cervelli*
42. Susan Gates, *Lupo non perdona*
43. Mario Sala Gallini, *Tutta colpa delle nuvole*
44. Alan Temperley, *All'ombra del Pappagallo Nero*
45. Nigel Hinton, *Buddy*
46. Nina Bawden, *L'anno del maialino*
47. Christian Jacq, *Il ragazzo che sfidò Ramses il Grande*
48. Pierdomenico Baccalario, *La strada del guerriero* Premio "Il Battello a Vapore" 1998
49. Paolo Lanzotti, *Le parole magiche di Kengi il Pensieroso* Premio "Il Battello a Vapore" 1997
50. Michael Dorris, *Il segreto di Piccolo Tuono*
51. Neal Shusterman, *Gli alieni sono tra noi*
52. Didier Convard, *I tre delitti di Anubi*
53. Johanna Reiss, *La stanza segreta*
54. Chiara Rapaccini, *Debbora in lov*

Serie Rossa ORO

1. Katherine Paterson, *Il segno del crisantemo*
2. Susan E. Hinton, *Il giovane Tex*
4. Christian Jacq, *Il ragazzo che sfidò Ramses il Grande*
5. Paolo Lanzotti, *Le parole magiche di Kengi il Pensieroso*, Premio "Il Battello a Vapore" 1997
6. Pierdomenico Baccalario, *La strada del guerriero*, Premio "Il Battello a Vapore" 1998
7. Alberto Melis, *Il segreto dello scrigno*, Premio "Il Battello a Vapore" 1999
9. Peter Dickinson, *I figli del Falco della Luna*

Valentina
dagli 8 anni

1. Angelo Petrosino, *V come Valentina*
2. Angelo Petrosino, *Un amico Internet per Valentina*
3. Angelo Petrosino, *In viaggio con Valentina*
4. Angelo Petrosino, *A scuola con Valentina*
5. Angelo Petrosino, *Un mistero per Valentina*
6. Angelo Petrosino, *La cugina di Valentina*
7. Angelo Petrosino, *Gli amici di Valentina*
8. Angelo Petrosino, *L'estate di Valentina*
9. Angelo Petrosino, *La famiglia di Valentina*
10. Angelo Petrosino, *Quattro gatti per Valentina*
11. Angelo Petrosino, *Buon Natale, Valentina!*
13. Angelo Petrosino, *Pablo. Un nuovo amico per Valentina*

Angelo Petrosino, *Il viaggio in Italia di Valentina*
Angelo Petrosino, *Il viaggio in Europa di Valentina*
Angelo Petrosino, *Halloween con Valentina*

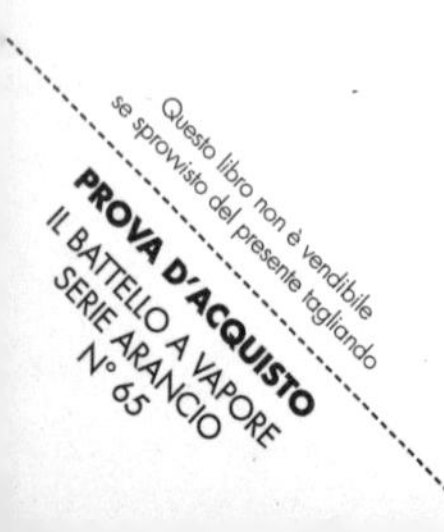
Questo libro non è vendibile
se sprovvisto del presente tagliando
PROVA D'ACQUISTO
IL BATTELLO A VAPORE
SERIE ARANCIO
N° 65